C 848 ①
W

il était une fois...
...peux-tu me dire?

À la poursuite du lièvre blanc

Texte
Ann Warren

Révision linguistique
Toufik Ehm

Illustrations
Luc Savoie

Conseillers à la publication
Roger Aubin
Gilles Bertrand
Joseph R. DeVarennes
Jean-Pierre Durocher

Grolier Limitée
MONTRÉAL

© 1989 Québec Agenda Inc.

Dépôt légal: 3e trimestre 1989
Bibliothèque nationale du Québec
Bibliothèque nationale du Canada

ISBN 2-89294-179-2

Imprimé au Canada

À la poursuite du lièvre blanc

— Oh ! la la ! Page, tu as vu toute cette neige ?

C'est un bel après-midi d'hiver. Page et sa sœur Muscade regardent les gros flocons de neige qui viennent s'écraser sur les carreaux. Muscade colle son oreille à la fenêtre, elle écoute… Rien… Les flocons ne font pas de bruit lorsqu'ils s'écrasent sur les vitres. Ils fondent et laissent des traces qui ressemblent à la pluie.

Il neige, il vente, neige neige blanche
tombe sur mes pieds, qui sont bien cachés
dans un bas de laine, font comme des mitaines
qui n'ont pas de pouce, dans la neige douce !

— On va jouer dehors. On va jouer dans la neige!
s'écrie Page. Puis, il va chercher de chauds vêtements
d'hiver et aide sa sœur à s'habiller.

On enfile ses culottes, ses bas de laine et un bon gros
manteau. On met ses mitaines avant le chapeau. Tu
oublies tes bottes, dépêche-toi qu'on sorte!

Page et Muscade sont tout excités. Ils s'élancent au-
dehors, courent sur la neige blanche.

— Va fermer la porte, on l'a oubliée, s'écrie Muscade.

Dans la neige folle, ses pieds font des traces que Page
efface en la bousculant.

— Vlan! la porte est refermée!

Derrière la maison, il y a un petit bois. Les enfants s'y
amusent à des jeux de cache-cache.

— Un, deux, trois... Page compte ainsi jusqu'à dix. Muscade court se cacher derrière un arbre. Ses pieds font des traces dans la neige et Page a tôt fait de la retrouver.

La neige est légère. Muscade en prend dans sa main et la fait voler en soufflant. Elle s'approche de son frère et lui souffle au visage une poignée de neige qu'elle avait ramassée.

— Cours vite te cacher, lui dit-elle pour le consoler, c'est à mon tour de compter.

— Un, deux, trois, quatre, sept, dix. Muscade ne sait pas très bien compter. Page n'a pas eu le temps de disparaître.

— Compte jusqu'à cinq, deux fois de suite, lui dit-il. Comme ça, j'aurai le temps de me cacher.

Et Muscade recommence à compter :

— Un, deux, trois, quatre, cinq. Un, deux, trois, quatre, cinq. J'y vais.

Muscade suit les traces que son frère a laissées mais elle ne l'a pas retrouvé. Page est malin, il a brouillé les pistes avec une branche de sapin. Il arrive par derrière, attrape Muscade et les voici roulant par terre. La neige fond sur leurs visages. La peau est chaude et transforme la neige en eau.

— Regarde, dit Muscade en secouant sa manche, là-bas, quelque chose a bougé.

C'est un lièvre blanc qui court vite se cacher à l'abri d'un pin. Les enfants suivent ses traces et s'amusent à sauter comme des lapins. Oups! le lièvre sort de sa cachette et s'enfuit en sautillant. Page et Muscade le suivent en faisant des bonds jusqu'à ce qu'il s'arrête au pied d'un vieux chêne. Les enfants s'en approchent doucement. Ils sont si près qu'ils pourraient presque le toucher. Peine perdue, d'un bond le lièvre s'est enfui.

Page et Muscade s'appuient sur l'arbre pour se reposer d'avoir tant sauté.

Il neige, il vente, neige neige blanche
tombe sur mes pieds, qui sont bien cachés!

Un, deux, trois... Peux-tu compter jusqu'à cinq, deux fois de suite?

Quatre, cinq, six... Peux-tu compter jusqu'à dix?

Pourquoi la neige fond-elle lorsqu'elle touche ton visage?

... peux-tu me dire?

À quoi Page et Muscade jouent-ils dans le petit bois?
Avec quoi Page a-t-il brouillé ses traces de pas?
Que rencontrent Page et Muscade dans le petit bois?

Près des immortelles,
tu me trouveras

Par un bel après-midi d'hiver, Page et sa sœur Muscade jouent dehors dans le petit bois. Ils ont suivi le lièvre blanc jusqu'au pied d'un vieux chêne. D'un bond, le lièvre a filé et les enfants se sont retrouvés au pied de l'arbre, tout essouflés.

— C'est dommage, soupire Muscade, je voulais juste le caresser un peu.

— Ses poils semblaient si doux, dit Page qui aime bien caresser les animaux, lui aussi.

— Pauvre petit lièvre, il doit être tout gelé sans ses mitaines, dit Muscade.

— Mais non, lui dit Page, les lièvres n'ont pas besoin de mitaines! Leur fourrure les garde bien au chaud.

— Et les arbres? demande Muscade. Est-ce qu'ils n'ont pas froid? Regarde celui-ci, il n'a même pas une feuille pour se faire un manteau. Puis elle se lève, entoure l'arbre de ses bras et frotte l'écorce, pour la réchauffer.

— Je crois que les arbres n'ont pas froid non plus, répond Page, c'est comme s'ils s'endormaient très fort, et ils ne savent rien de l'hiver.

— Oh! regarde! dit Muscade, il y a un trou de l'autre côté.

Page se lève et examine l'écorce du vieux chêne. Muscade essaye de regarder dans le trou, mais elle est trop petite pour l'atteindre.

— Fais-moi une place dit Page en tirant sa sœur de là. Mais il a beau se mettre sur le bout des pieds, il n'arrive pas à être assez grand lui non plus. Il saute, essaye de grimper puis décide de glisser simplement la main à l'intérieur du trou.

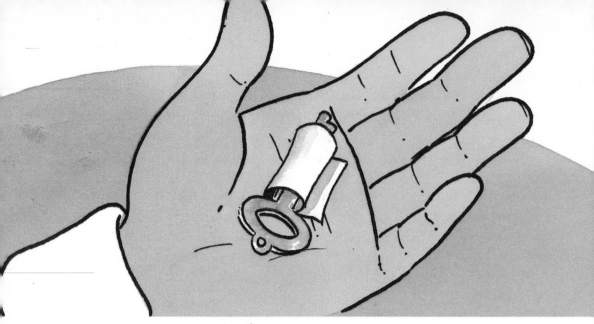

Tout excitée, Muscade sautille autour de lui en disant :

— Montre, montre ! Je veux voir le trésor !

Page ouvre la main et ils découvrent une toute petite clé de porcelaine avec un papier enroulé tout autour.

— Qu'elle est jolie ! dit Muscade très intéressée. Enlève le papier, je veux la voir tout entière.

Page enlève ses mitaines et les place dans sa poche. Puis il déroule le papier en faisant très attention. Il ne veut pas perdre la clé dans la neige. Il l'examine en se disant qu'une si petite clé ne doit ouvrir qu'un tout petit coffre.

— Montre-moi ! ne cesse de lui dire Muscade.

Page lui montre la clé et la glisse dans sa poche en vitesse.

— Donne-la moi, s'écrie Muscade, en colère, c'est moi qui l'ai trouvée !

— Je préfère laisser la clé dans ma poche, dit Page, on pourrait la perdre autrement.

— Montre-moi le petit papier alors, dit Muscade.
Page déroule le petit bout de papier.

— Tiens, il y a des mots d'écrits, dit Page. Lis-le vite!
dit Muscade.

Le papier dit:
Deux enfants se promènent autour d'un vieux chêne,
récitant un poème comme une rengaine,
Qui a dit, qui dit et dira?
Tout autour de l'arbre tournera trois fois,
Près des immortelles tu me trouveras.

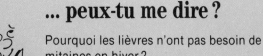

... peux-tu me dire?

Pourquoi les lièvres n'ont pas besoin de mitaines en hiver?
Qu'a trouvé Page dans le trou du vieux chêne?
Qu'y a-t-il d'écrit sur le papier enroulé autour de la clef?

Le coffre s'ouvre

Page et Muscade ont suivi le lièvre blanc jusqu'au pied du vieux chêne. Ils découvrent un trou dans l'écorce de l'arbre. Page glisse la main à l'intérieur et y découvre une clé et un message qui dit :

Deux enfants se promènent autour d'un vieux chêne,
Récitant un poème comme une rengaine,
Qui a dit, qui dit et dira,
Tout autour de l'arbre tournera trois fois,
Qui a dit, qui dit et dira,
Près des immortelles tu me trouveras.

Trois fois, Page et Muscade font le tour de l'arbre en disant la comptine. Tout à coup, l'air se réchauffe, un oiseau chante et la neige se met à fondre tout autour.

Étonnés, les enfants n'osent plus bouger. Ils se tiennent par la main, silencieux. La neige fait comme des petites rivières et en quelques minutes, Page et Muscade se retrouvent les pieds dans l'eau. Une fleur que la neige a découverte se redresse lentement, tandis qu'une autre s'étire déjà vers le ciel.

— Les immortelles, chuchote Page. Bientôt, il y a une douzaine de fleurs qui se dressent au soleil. Au soleil ?

Muscade regarde vers le ciel, les nuages ont fait un petit espace et un rayon de soleil a vite fait de se glisser dedans.

— Il fait chaud maintenant, se dit Muscade.

Page, qui n'a pas cessé de regarder les fleurs, s'écrie :

— Regarde, il y a un coffre au milieu des immortelles !

C'est un vieux coffre de bois que l'humidité fait craquer de toutes parts.

— Crac ! fait le coffre.

— Il y a une serrure, dit Page.

— Essayons la clé ! disent les enfants qui s'en approchent en pataugeant dans l'eau.

Page sort la clé de sa poche et la glisse dans la serrure.

— Tourne. Tourne la clé, dit Muscade qui a bien hâte de voir à l'intérieur.

— Crac ! dit encore le coffre, faisant sursauter les enfants.

Et Page tourne la clé, enfin !

... peux-tu me dire ?

Que trouvent Page et Muscade parmi les fleurs ?

Est-ce que la clef est celle du vieux coffre de bois ?

Est-ce que Page et Muscade savent ce qu'il y a dans le vieux coffre de bois ?

Au fond du coffre

Page et sa sœur Muscade ont suivi le lièvre blanc jusqu'au vieux chêne. Ils trouvent une clé de porcelaine et un papier. Page, qui sait bien lire les mots, dit trois fois la comptine en tournant autour de l'arbre. Muscade tourne avec lui. Puis, un rayon de soleil perce les nuages et tout à coup, c'est le printemps ! Les enfants découvrent un vieux coffre au milieu des immortelles et Page glisse la clé dans la serrure.

— Ça ne marche pas, dit Page en faisant jouer la clé.

— C'est un peu rouillé, dit Muscade. Puis elle sort un petit mouchoir de sa poche et se met à nettoyer la serrure.

— Crac ! dit encore le coffre, pour protester.

— Voilà, essaye encore !

Page remet la clé dans la serrure, la fait tourner vers la gauche, puis vers la droite.

— Clic! dit la serrure.

— Ça y est, c'est ouvert! s'écrie Muscade.

Les enfants s'empressent de soulever le couvercle.

— Mais je n'y vois rien du tout! s'exclame Page, c'est tout noir à l'intérieur.

— Laisse-moi faire, tu n'as pas bien regardé, lui dit Muscade.

Puis elle se penche sur le coffre et cherche à l'intérieur. Ses mains tâtonnent les bords puis essayent d'en toucher le fond. Rien, le coffre n'a pas de fond du tout. Muscade se penche davantage et tend les bras plus loin encore, si bien qu'elle glisse à l'intérieur. Étonné de voir sa sœur disparaître ainsi, Page se penche à son tour et crie:

— Muscade! Muscade!

— Oh! la la! lui répond une voix étouffée, je me suis cogné la caboche.

— Alors? demande Page. Il y a un trésor au fond?

— Hi hi hi! Ho! Ah! Ah! Hi!

Des rires de toutes sortes jaillissent du coffre et occupent tout l'espace.

— Holà! Muscade?

Page crie très fort et sa voix se mêle aux rires. Prudemment, il glisse les jambes dans le coffre et, en se tenant sur les bords, se laisse descendre à l'intérieur. Ses petites jambes s'appuient enfin sur le fond. Page regarde bien et découvre qu'il s'agit d'un escalier qui descend vers la lumière et les rires.

— Holà? Muscade, tu m'entends? lance-t-il en descendant...

— Hi hi! lui répondent les rires.

... peux-tu me dire ?

Comment Muscade est-elle rentrée dans le vieux coffre en bois ?
Page est-il étonné d'entendre Muscade rire ?
Que trouve Page au fond du coffre ?

Les cascades et de l'autre côté

Arrivés au pied du grand chêne, Page et Muscade découvrent une clé et un papier. Ils font trois fois le tour de l'arbre en disant la comptine et la neige fond, découvrant un vieux coffre. Page essaye sa clé et le coffre s'ouvre. Muscade a glissé à l'intérieur et Page descend à son tour. On n'entend plus que des rires de toutes sortes.

— Hi hi ! Ha ! Ho !

À mesure qu'il descend l'escalier, Page se sent pris d'un fou rire incontrôlable. Il essaye bien de garder son sérieux, mais peu à peu le rire l'envahit et c'est mort de rire qu'il arrive en bas.

— Ho ! Hi hi ! tu arrives enfin, lui dit Muscade entre deux rires.

— Ha ha ha ! répond Page qui n'arrive plus à parler tellement il rit.

En descendant dans le coffre, les enfants se sont retrouvés dans un autre monde. Un monde ensoleillé où c'est toujours l'été. L'herbe est parsemée de fleurs merveilleuses, des oiseaux chantent et une cascade coule joyeusement au pied de l'escalier. C'est de là que viennent les rires. On dirait que l'eau éclate en milliers de hi hi, de ha ha et de ho ho! Soudain, le lièvre blanc que les enfants avaient poursuivi jusqu'au vieux chêne apparaît devant eux. Page et Muscade se précipitent pour l'attraper, mais ils perdent l'équilibre et se retrouvent dans l'eau. D'un bond, le lièvre blanc les y rejoint en sautant sur une pierre rose. Puis, il leur fait signe de prendre le même chemin. Les enfants se relèvent en riant aux éclats et suivent le lièvre en bondissant tantôt sur une pierre verte, tantôt sur une pierre mauve.

Bondissant de pierre en pierre, les enfants se retrouvent devant la cascade qui déverse des chutes d'eau en rigolant. Le lièvre blanc continue sa course et plonge au travers. Étonnés, Page et Muscade hésitent un moment puis plongent à leur tour...

Les enfants, encore secoués de rares fous rires, se retrouvent tout désolés, dans un autre monde, là où le soleil ne perce pas encore les nuages.

— Bienvenue au royaume du roi de la mauvaise humeur! leur dit le lièvre blanc en faisant la révérence...

... peux-tu me dire ?

Où se sont retrouvés Page et Muscade en descendant dans le coffre?
Qu'est-ce qui rit tant dans ce pays étrange?
Pourquoi Page et Muscade suivent-ils le lièvre?

Le roi de la mauvaise humeur

Page et Muscade se sont retrouvés au fond du coffre et ils ne peuvent plus s'arrêter de rire. C'est un monde ensoleillé où coule une joyeuse cascade. Le lièvre blanc leur fait signe de le suivre et traverse les chutes d'eau riantes. Les enfants font de même et se retrouvent de l'autre côté, au royaume du roi de la mauvaise humeur.

— Bienvenue, dit à nouveau le lièvre blanc qui n'en finissait plus de faire la révérence. Oh! Voici mes amis qui arrivent.

Page et Muscade, pas tout à fait remis du changement, n'en reviennent pas : un lièvre blanc qui parle! Muscade se frotte un peu les yeux et Page, quant à lui, se frotte les oreilles, mais cela n'y change rien.

— Voyez, mes amis! dit le lièvre blanc. Bienvenue! Puis il se remet à faire la révérence en leur tournant le dos.

Muscade se met sur le bout des pieds pour voir les personnes que le lièvre salue si poliment.

— Oh! fait-elle en mettant sa petite main sur sa bouche. Page, lui, s'est approché du lièvre et se retrouve face à face avec un gros chat, tandis qu'une petite buse vient se percher sur son épaule.

— Bonjour mademoiselle, dit le chat en passant entre le lièvre et Page.

— Bonjour chat, répond Muscade en copiant sa révérence sur celle du lièvre. Comment allez-vous? s'empresse d'ajouter Page pour être poli.

— Très mal, merci, répond la buse qui n'avait pas dit un mot jusque-là. Et vous?

— Ça va, merci, reprend Page qui tourne la tête pour éviter le bec de l'oiseau. Celui-ci continue la conversation en disant :

— Voyez-vous, nous avons ici un problème à résoudre. Le roi de la mauvaise humeur, qui règne sur ce royaume que vous voyez fade et sans couleur, ne veut rien faire pour se changer l'humeur.

— Voyez-vous, dit le chat, il faudrait que le roi se trempe tout entier dans la cascade du rire pour que son humeur en soit toute transformée.

— Voyez-vous, reprit la buse, le roi de la mauvaise humeur n'aime pas l'eau et n'y goûte que pour se désaltérer.

— Alors, poursuit le lièvre, si le roi avait de bonnes raisons de s'y tremper, les cascades du rire lui feraient un royaume tout ensoleillé.

— Voyez-vous, commence Page pour employer le même langage, que ferons-nous, ma sœur Muscade et moi, pour vous aider ?

— Il vous suffit de nous donner la clé, répondent ensemble le lièvre, le chat et la buse.

— Ah ! Que voilà donc mes mauvais sujets, dit une grosse voix avec mauvaise humeur : un lièvre qui me laisse mourir de faim, un chat qui me laisse mourir de froid et un oiseau qui me laisse mourir d'ennui !

Le roi de la mauvaise humeur était venu les rejoindre.

— Vous parliez de clé, je crois ?

Page et Muscade deviennent mal à l'aise.

— Bienvenue ! dit Page, pour dire quelque chose.

— Bienvenue, disent le lièvre, le chat et la buse en essayant de cacher les enfants derrière eux.

... peux-tu me dire ?

Page et Muscade sont-ils étonnés de voir un lièvre parler ?
Que veut dire « faire une révérence » ?
Pourquoi le roi est-il de mauvaise humeur ?

Arrivés au fond du coffre, **Page** et **Muscade** ne peuvent plus s'arrêter de rire. Ils suivent le lièvre blanc en sautant sur les pierres de couleurs et traversent la cascade du rire, en rigolant. De l'autre côté, ils découvrent le royaume du roi de la mauvaise humeur. C'est un monde où le soleil ne se montre jamais. Le lièvre blanc et ses amis, le chat et la buse, leur racontent qu'il faudrait tremper le roi dans la cascade du rire pour lui changer l'humeur. Cela rendrait à son royaume ses journées ensoleillées. Mais le roi de la mauvaise humeur ne s'y baigne jamais. Et sur ce fait, il arrive.

Le lièvre blanc, le chat et la buse se mettent devant les enfants. Peine perdue, le roi les a déjà aperçus. Intéressé, il demande :

— De quelle clé s'agit-il ?

—Bienvenue Majesté, dit le lièvre en faisant une autre révérence. Nous ne parlions pas de clé, mais de fée.

— De fée, en effet, dit la buse pour appuyer les dires de son ami. De fée, dit-elle encore en appuyant sur le « f » en soufflant.

— De clé nous n'avons pas parlé, reprit le chat. Clé ou fée, voilà des mots qui se ressemblent beaucoup.

— Ah bon ! dit le roi qui ne les croyait qu'à moitié. Il me semblait, pourtant. Serait-ce là les fées dont vous parliez ? demande-t-il en regardant derrière le chat. Puis il l'écarte sans ménagement, si bien que notre ami se retrouve sur le dos, et le roi, lui, bien campé devant les enfants.

— Holà ! voici une drôle de petite fée, dit-il en regardant Muscade d'un air sévère. Muscade se cache derrière son frère qui aimerait bien pouvoir se cacher lui aussi.

C'est que le roi lui fait un peu peur avec sa grosse voix et son visage tout plissé de mauvaise humeur.

— Alors ? dit le roi menaçant, cette clé ?

Page, ne sachant trop que faire, regarde tour à tour le roi et le lièvre.

— Il n'a surtout pas de clé, dit celui-ci, et il se met à parler de la pluie pour essayer de changer les idées du souverain. Mais le roi ne s'y fait pas prendre. Il tient à éclaircir cette affaire.

— Alorrrs ? Cette clé ? dit-il encore en laissant monter sa mauvaise humeur.

Page, qui se sent vraiment tout petit, a bien envie de montrer sa clé au roi. Il met sa main dans sa poche pour l'en retirer quand, tout à coup, le lièvre s'écrie :

— Lance-la dans la cascade du rire ! Vite !

Mais Page n'a pas le temps de faire quoi que ce soit. Le roi le prend par les pieds et se met à le secouer. La clé tombe sur le sol et le roi se penche aussitôt pour la ramasser, laissant Page par terre, tout à l'envers. Mais la buse, qui est plus rapide, attrape la clé, s'envole vers la cascade du rire et l'y laisse tomber. Le roi de la mauvaise humeur s'élance pour la rattraper, trébuche sur une pierre et plonge...

Silencieux, les enfants regardent l'endroit où le roi est tombé. Rien ne bouge, il ne reste que quelques ronds dans l'eau. Puis, un tout petit rayon de soleil apparaît et se met à grandir, grandir jusqu'à en couvrir le royaume tout entier.

Le lièvre, le chat et la buse font la ronde et les enfants les accompagnent joyeusement. Le roi sort de la cascade du rire avec un grand sourire accroché aux lèvres.

Le roi de la mauvaise humeur s'est transformé en tombant. La cascade du rire lui a habillé le cœur de bien belle humeur!

Bienvenue au royaume des rires! dit-il, en faisant la révérence.

... peux-tu me dire?

Le roi les croit-il quand ils disent parler de « fée » et non de clef?
Qui le roi prend-il par les pieds pour le secouer? Pourquoi?
Pourquoi le roi se met-il à sourire?

DATE DE RETOUR			

Bibliofiches – 11-380B